V

어떤 계모님의 메르헨

만화 ORKA ✦ 원작 냥이와향신료

CARROTOON

The Fantasie of a Stepmother

The Fantasie of

a Stepmother

어떤 계모님의
메르헨 ✦ V

초판 1쇄 인쇄 | 2023년 11월 23일
초판 1쇄 발행 | 2023년 11월 30일

만화 | ORKA
원작 | 냥이와향신료
펴낸이 | 권태완 우천제

편집 | 허단영
편집디자인 | 신현아
연재담당 | 김선미, 김연재

펴낸곳 | (주)케이더블유북스
등록번호 | 제25100-2015-43호
등록일자 | 2015. 5. 4

주소 | 서울특별시 구로구 디지털로31길 38-9 에이스테크노타워 1차 401호
전화 | 02-867-4626 팩스 | 02-866-4627
E-mail | carrotoon@kwbooks.co.kr

ISBN 979-11-404-7854-5 07810
      979-11-293-6077-9 (set)

어떤 계모님의 메르헨

V

만화 ORKA

원작 나이와향신료

The Fantasie of a Stepmother

Contents

<어떤 계모님의 메르헨> 웹툰
71~86화까지의 내용을 담았습니다.

Chapter 19 그 해 여름(2)

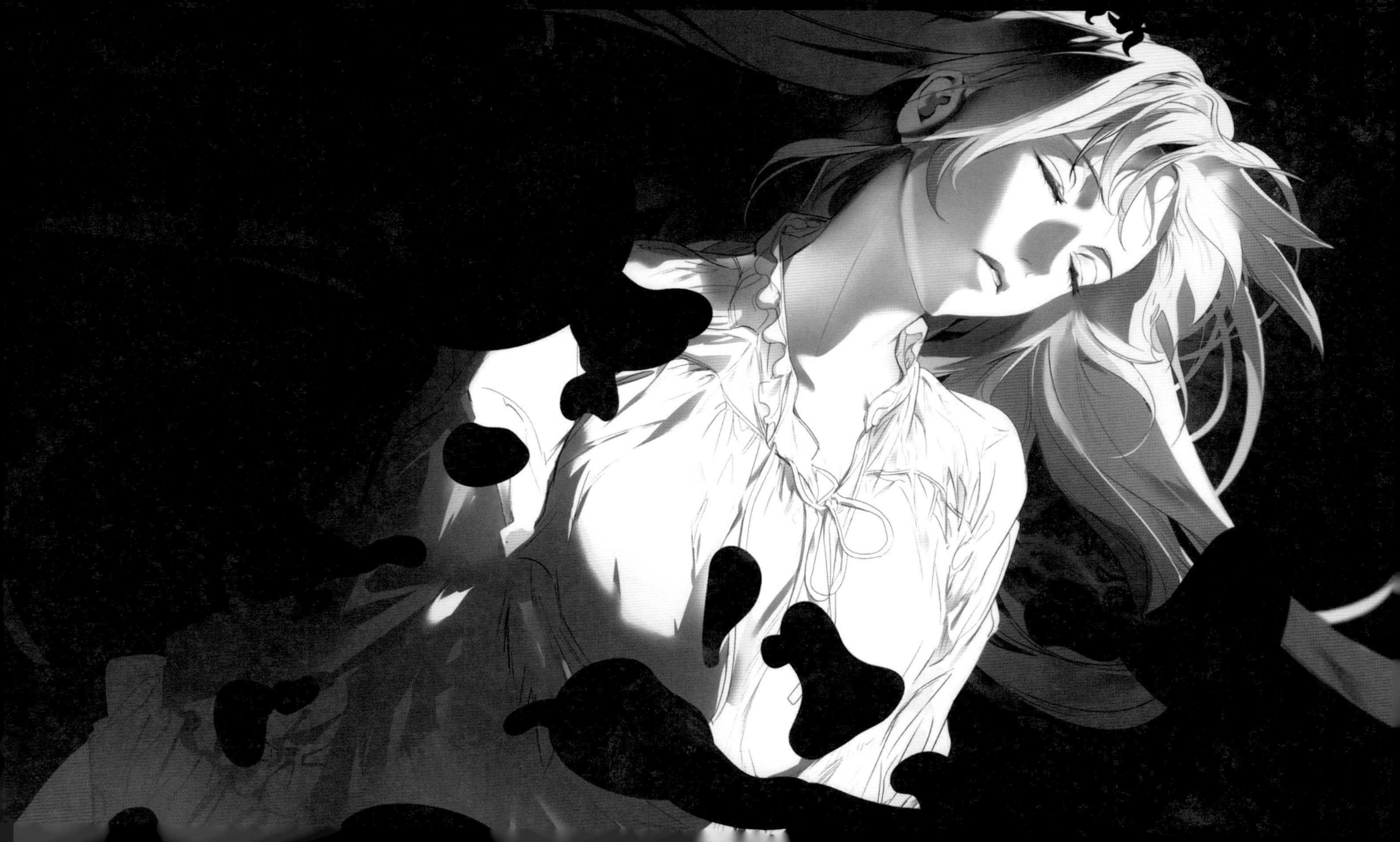

The Fantasie of

a Stepmother

후후...

후후후...

부스럭 부스럭

완벽해~!!!

짠

나와 레온의 합작! '노이반슈타인 생일 파티 계획'!!

하암

야호~.

좔좔

요리사에겐 생크림을 잔뜩 올린 5단 케이크를 만들어달라고 했고!

가족끼리 오붓하게 아침 식사를 마친 뒤엔, 호수에 나가서 뱃놀이!

선물 증정식은 저녁 정찬이 끝나면!

그 뒤엔 레온이 피아노를 치고, 다 같이 노래를 부르며 마무리하는 거야!

복도에 꽃 장식도 잊으면 안 돼!

형들이 과연 노래를 부를까?

제레미 오빤 요새 사람 돼서 괜찮아.

하암

구시렁대면서 다 할걸?

근데 왜 자꾸 하품을 해?

기숙사엔 취침 시간 있었단 말이야.

졸려~

자박　　　　자박

늦긴
했네.

자박

자박

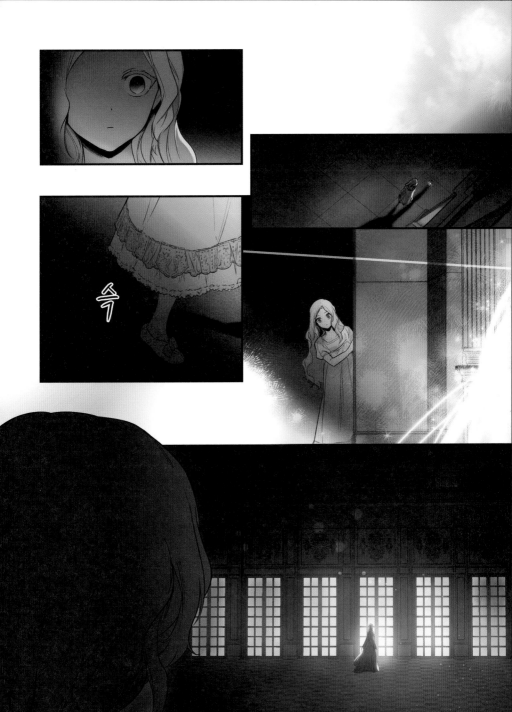

또야?

붐숙

흠칫!!

괜찮아진 줄
알았는데.

끄ㅅ

제레미
오빠….

노,
놀랐잖아!

집엔
왜 이렇게
늦게 와?!

오빠방까지
바람 들겠네?!

들겠냐?

연습회
끝나고
대련까지
하느라.

상대

엉마…?

쉿.

저러다
다치면
어떡해
…?

살금..

14

방으로
데려간다.

응.

시익

엄마, 몽유병이 최근 들어 재발한 것 같아.

낮에는 진짜 멀쩡한데….

불안해하는 낌새 같은 거 있었어?

절레

만약에… 남들이 알면….

다들 입단속 철저히 시키지 않았나?

설령 새어 나간다 해도 알 바 아니잖아.

남들이 떠드는 소리 같은 건.

그렇긴 하지만….

엄마는 속상할 거 아냐.

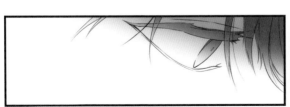

오빠?

…일단 너도 이만 가서 자라.

내일은 네가 누누이 강조했던 아주 중요한 날이니까.

오빠는 어쩌게?

난
좀 더
지켜보다가
자야겠어.

오빠가
든든해졌어.

매번   짓궂게   화만
굴거나   냈었는데.

알았어.

그럼 난
갈게.

늦잠 자도
모른다.

제일 먼저
일어날
거야!

멈칫
;

오빠.

쏙

......

잠들고서도 잠들지
못하는지.

무슨
꿈을 꾸걸래

예전에
내게
털어놓았던

아주 길고

서글픈
이야기를
보고 있나.

금방이라도
무너질 것
같으면서

누구보다
많은 짐을
짊어진 그 어깨를
가볍게
해주려고

나도
많이
쫓아왔어.

…슈리.

내게도
덜어 놔.

얼른 이쪽으로 모여!

시작 한다~!

레이첼,
레온.
엘리아스.

설마 오늘,
내게 주는
선물이

남매간의
다투는 모습은
아니겠지?

그렇다면
내 마음이
아주 슬플 것
같구나.

쿵...

슈리의

비명의 소리

아아~

아니야

아니야

선물 있어

요 귀여운 녀석들!

언제 이렇게 감쪽같이 파티 준비를 했다지?!

요즘 잠을 자도 잔 것 같지 않아서 피곤했는데, 그 피로가 몽땅 풀리는 것 같아…!

아침부터 꽥꽥대지 않을 순 없냐.

!!

걸리적
거리니까
비켜.

척.

붙잡혀
있는데
어떻게
비키라고!!

꾸와악

꽈줌. 후다닥

늦잠꾸러기.

늦게 일어나서
머리도
못 말렸대요~

이게.

헹

너희
뭐 하니.

응?

빤―

헉

설마...

26

이 나이에
크림을
묻히면서
놀게 될
줄이야…!

제레미
녀석….

스윽
슥

크흥

아직
크림 냄새가
나는 것
같은데…?

향수라도
뿌려볼까?

의외의
복병이었어.

엘리아스와
쌍둥이가 준
선물—.

팔락

사랑하는 우리의 어머니,
슈리 폰 노이반슈타인의
생일을 축하하며—

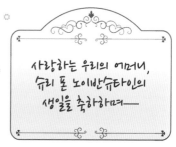

후훗

귀여워~

거창하기도
해라.

사실,
내 생일은
며칠 더
뒤다.

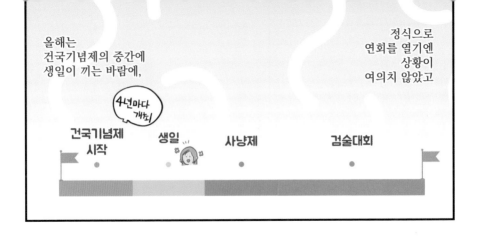

올해는
건국기념제의 중간에
생일이 끼는 바람에,

정식으로
연회를 열기엔
상황이
여의치 않았고

4년마다
개최

건국기념제
시작

생일

사냥제

검술대회

내심,
복잡한 준비가
필요한
연회보다는

가족끼리
오붓하게
보내고 싶다는
마음이
더 컸다.

저택
장식

초대
카드
돌리기

빙글

연회 테마와
정찬 메뉴

빙글

좌석
지정

기타 등등

실수하면
안 돼…!

그러던
차에,

다들 이렇게
정성 들여
준비하고,
축하해 줘서

오늘

정말
즐거웠어.

노라도
있었다면
좋았을
텐데.

순방을 나섰던
뉘른베르 공작께서
거의 반년 만에
돌아오시는 날이니

쿠웅

앗

내가
누나 생일에
불참이라니...

앞당겨
하는
파티니까—

어쩔 수
없었지만.

충격받은
노라 얼굴이
정말
재밌었지.

그렇게까거
당황할 일은
아닌데

귀여운
녀석

똑
똑

아

제레미구나.

어라
쉬려던 걸
방해했나?

아니야,
그냥 생각
중이었어.

무슨
일로—

…뭔가를
잊은 듯한
환상….

슈리?

왜 그래?
갑자기
넋이
나가선.

미안.

목걸이가
너무 예뻐서
나도 모르게….

악몽 중
하나인
걸까.

뭘 그런 걸
묻냐?

세상에

이런 걸
어디서
구했어?

들에서
꺾어 왔다면
믿을래?

훔친 거
아니다.

—…
베개 밑에
넣고 자면

슥

사
락
.

악몽을
물리쳐
준다더라.

신기하네.

사실
요즘…

그런
마법이
필요했거든.

35

제레미. 저번에 결혼에 대해서 신경 쓰지 않는다고 했던 것…

기억나?

!

…그랬지.

갑작스러운 질답 시간

무슨 뜻인지 물어봐도 되니?

그것도 고민 중 하나였거든.

…음.

나는

좀 던지듯이 말하잖아.

그때, 신경 쓰지 않는다고 했던 건

정말로 아무런 관심이 없다는 뜻이야.

나는 누군가와 사랑에 빠지고 싶은 생각도,

영원을 약속하고 싶은 욕구도 없어.

앞으로도 내 심장은

이성과 사랑보다

검과 명예를 향해 뛸 거야.

거기엔 피할 수 없는 책임 또한 따른다는 사실을

이제는 잘 알아.

덜커덩

덜커덩

덜커덩

덜커덩

덜커덩

덜커덩

……

슬쩍‥

반사

앙

고

파아

햇빛 아래서
보니까 더
화려하다!!

제레미 녀석…
몇 년(?) 치
용돈을
다 턴 거 아냐?!

두근

두근

그냥
한 방이 큰
타입이었던
건가!

다들,
부잣집
자제답지 않게
씀씀이가
소박해서

어디에
쓰는지까진
세세하게
관여하지 않고
있었는데….

이렇게 마음 쓴 선물을 받은 것도

속 깊은 이야기를 나누는 것도

아직은

어젯밤, 제레미에게

요헨의 모습이 보였던 것 같기도 해.

말을 유창하게 해서 그런가.

생소한 경험이다.

어쩌면 내가 눈치채지 못하는 사이,

아이들은 훨씬 더 빠르고

여러 갈래로

성장하고 있는지도 모른다.

저게, 저게!
아무리 봐도,
내게 자랑하려고
차고 온 게
확실하군!!

그렇진
않습니다만,
마마.

다소곳

번쩍거리는 게
눈이 아파서
살 수가 있나!

커튼 좀
쳐라!

어머나~
예쁜
페리도트~

하지만
내 눈을
만족시키기엔
아직
한참 멀었지.

대체 어디서
그런 조잡한
장신구를
구했나.

감사합니다,
마마.
저희 큰아들이
생일 선물로
줬답니다.

자네만
아들 있나?
나도 아들
있네.

그러고
보니

티타임!

일전의 드레스 말이야.

거의 완성이 되었던데,

아

지난번에 마마께서 주셨던.

가봉을 해야 하니 하루쯤 황궁에 머무르는 건 어떤가.

자네 체형에 완벽히 맞춰야지.

영광스러운 말씀입니다만,

건국기념제 준비로 바쁜 황궁에 폐가 되진 않을는지요.

사람이야 재단사 한 명과 시녀 몇만 움직일 테니 문제 될 것은 전혀 없네.

머무를 방은 손님용 별궁에 마련할 테니 걱정 말고.

그래서 하이데도 함께 초대할 생각이었네만 —.

오히려 건물이 넓고 한산해 자네 혼자 지내긴 적적할 게야.

저는 집 밖에 오래 머무르면 금방 몸이 아파서….

아이고

원한다면 자네 딸과 같이 와도 좋겠지.

!

레이첼과 황궁 숙박…?

이건…

오늘은 나도 데려가면 안돼?

응? 응?

물어보나 마나다.

-그럼, 황후 마마의 너그러운 제안에 염치 불고하고 하룻밤 머무르도록 하겠습니다.

좋아.

마차는 황궁에서 보내지.

오 오 오

재밌겠군.

엄청 기대하시는 것 같은데

피크닉 바구니라도 챙겨 올까?

데뷔탕트 전에 황궁을 볼 수 있는 기회잖아!

꺄아

한 군데도 빠짐없이 구경하고 올 거야!!

신난다―!!

굽 낮은 신발로 부탁할게, 그웬.

그게 될 것 같네.

기대하는 건 좋지만, 황후 마마는 뵙기 어려울지도 몰라.

바다 건너온 귀빈들을 맞이하셔야 하거든.

어제부터 도착하기 시작했대.

응

그게 더 좋아.

아직 황후 마마 뵙는 건 긴장되는걸.

그럼 다녀올게, 엘리아스.

우리끼리만 가게 돼서 미안하네.

난 황궁 구경 같은 거 관심 없으니까 괜찮아.

여기엔 관심이 좀 없으려나~?

알아, 알아!

짠

엘리아스가 준 선물.

그런데…
오늘도
한껏 꾸몄구나.
또 외출하는
거니?

나의 아기 새가
떨어지기 싫다며
매일매일
어찌나 지저귀는지,
정말 골치가
아프다니까~!

오굴
오굴

죄 많은
나의 매력
~!

사랑을
좇는 자는
늘 바쁜
법이지!

멘트가
날이 갈수록
엄청나지는걸?

잡혀서
늦게 들어오는
거였어?

늉
읏읏

그나저나…

어디서 누굴
만나고 있는 건지
도통
알 수가 없어서
걱정이네.

상대는
매번
바뀌는 것
같은 데다,

이런
주제로
말을 걸려고
하면

자꾸
얼버무리고
도망가기
바쁘니….

아이들 중
자기 주관이
제일 강해서

더 캐물으면
역효과가
날까 봐
두고 보았지만—

이젠
개입할 때가
된 것 같아.

우리 엘리의
작은 새가 누군지,
슬슬 내게도
소개해 주지
않을래?

어느
가문의
영양이니?

!

그게…
뷘터 남작가의
둘째 딸이야.

아아ー.

집에도
온 적
있어.

마님,
이제
출발하실
시간입니다.

이런

지체하면
큰일이지.

나중에
보자꾸나,
엘리아스.

"어서 오세요, 노이반슈타인 부인."

"빈터가의 파티에 참석해 주셔서 감사합니다."

"좀 이르지만 이번에 약혼을 시킨—"

"저희"

"차녀랍니다."

"남작가의 둘째 딸이야."

엘리아스가 나 모르게

약혼을 했을 리는 없고.

최악의
경우는
밀회.

하지만
그런 행각을
벌일 나이도,
성정도
아니거니와

무엇보다
밀회였다면
소문이 먼저
퍼졌을 터.

왜지?

엘리아스가

거짓말을
하고 있어.

터벅

터벅

터벅

터벅

평소보다
양이 많네….

어라.

터벅   터벅

화,
황태자
전하?!

과학자경에는
어전 일로
…?!

깜짝

리슐리외의
사제로군.

뭘 놀라고
그래ㅎ

약초 더미네.

고행의 방으로
가는
길이구나?

그렇습니다.

그… 최근 신학 수업은 어떻게….

걱정 마.

새로운 교사가 잘 가르쳐 주고 있어.

리슐리외 추기경이 나를 거의 전담했었잖아?

다른 관점을 접할 수 있어서 꽤 좋은 경험인 것 같아.

흐음.

전하께서 어찌 이런 걸…．

이건 병풀인가? 외상에 효과가 있는.

나야 도서관에서 살았었으니까.

고행을 자처하는 자는 이제 없지.

머지않아 혼자 남게 될 거야.

뚜
벅

썩
좋은
상태는

추기경에게
안부 전해
줘.

아니겠지만.

하하.

찰
랑
...

그렇군.

펄
럭

걱정할 것 없다.

하고 싶은 대로 하게 두면 돼.

하지만 추기경님…

교황 성하의 용태가 점점 위태로워지고 있는 것이….

에우게니오는 죽지 않는다.

노환으로 위중해 보이지만 털고 일어날 운명….

앞으로 5년은 족히 살 것이다.

차기 교황직을 노리는 자들은 형체 없는 기대감에 빠져,

서로 가진 것을 부풀리며 우위를 가리느라 바쁘니

그사이, 무엇이 자신의 목을 조를지는 알지 못해.

상황을 파악하기보다 섣부른 판단을 내리는 데 급급해하고 있다.

…그렇긴 하오나, 최근엔 황태자 전하까지

마이스너 추기경과 더 긴밀해지셨지 않습니까.

이러다 저희가 손쓰기 힘든 수준까지 판도가 기울면, **만약의 경우엔…!**

달그락…

달각

약의 제조가
끝났으니
가보겠습니다.

숙
숙

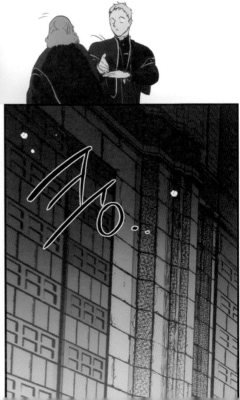

끄으...

어서 오십시오, 노이반슈타인 부인!

오늘 가봉을 도와드릴 디자이너, 멜리샤 입니다.

오랜만이군요, 멜리샤.

그대가 돌연 모든 의뢰를 거절해 사교계가 떠들썩했는데, 그 이유가 여기 있었네요.

후훗

황실의 요청이 최우선 이니까요!

그럼 드레스부터 확인 하실까요?

…밖은 더운데….

달그락

가봉은
다
마쳤습니다,
부인.

드레스와
함께 차실 장신구는
이미
결정하셨을까요?

목걸이는
정했는데
귀걸이가 아직
고민이군요.

제가 몇 가지
준비해 왔으니,
한번 보시지요.

따님과 사이가
돈독해서
좋으시겠어요.

레이첼과는
같이 있는
시간이 많아
다행이지만…

둘째는
집에서도
얼굴 한 번
보는 게
쉽지 않네요.

한창
클럽에 가입할
시기라서
그런지.

최근에는
더
힘드시죠?

어머

어떻게
아셨나요?

그럴
만도요.

지금 비텔스바흐 상점가엔 어마어마한 **카드 게임 열풍**이 한창이랍니다.

기존의 룰보다 간단하고 흐름이 빨라서 더 재미있는 데다가―

청년들 사이에선 교양을 증명하는 방법으로 자리 잡았다죠.

귀족 영식들에게 아주 인기라고 하네요.

…카드 게임…?

귀부인들에게선 들어본 적이 없는 얘기야.

귀족 영식들에게 인기라….

하지만 이 정도는 다른 모임에서도 자연스럽게 즐기는 놀이인데….

혹시 엘리아스가 거짓말을 한 이유와 관련이 있을까?

자유연애도
즐기는 아이가
친구들끼리의
카드 게임을
숨길 것 같진
않아.

분명
또 다른 이유가
있어….

집에 돌아가면
알베른을 시켜
자세히
알아봐야겠어.

미안하구나,
레이첼.
많이
기다렸지?

?!

아닛

텅~

슥

그새
어디로
사라졌지
?!

방으로
갔나?!

그래서요—

둥! 굴

냐옹냥

저는
제 쌍둥이랑
제일 친해요.

가끔 다투기는
하지만,
서로 통하는 게
많거든요.

그리고
오빠가 둘
있는데—

꿀꿀꿀

―저희 집안엔 아버지가 물려주시기로 한

귀한 보물이 하나 있습니다.

하나의 보물을 두고 넷의 형제가 다투어

그 광경을 본 남은 하나의 형제는

넷의 형제가 함께 내세로 떠났고

허망함을 이기지 못한 채, 수도승이 되었지요.

헉, 잠깐;

손이나 흔들고 있을 때가 아니잖아!!

엄마 걱정하겠다!

금방 돌아가려고 했는데!!

그럼

저는 이만 가볼게요.

앗

―…혹시

레이첼도 건국기념제에 참석하나요?

시침 뚝!

네. 저희 엄… 마님이랑 참석할 거랍니다!

그렇군요.

다행이다.

또
만나고
싶어요.

오늘
레이첼이
제게
와주었으니

그날은
제가
레이첼에게
갈게요.

좋아요!

우리,
꼭 다시
만나요,
알리!

방긋

74

어설픈죠?

아주
잘해요!

우리 마님이
가르쳐 줬어요.

또각··

또각··

일말의 희망을
가졌건만···

역시···!

쥬르르

역시나
방에 없구나!!

그 어떤 상황에서도
절대 방심해선
안 되는 게
노이반슈타인가의
아이인 것을···!!

짜증우돌

사고뭉치

어디로
사라진 거니,
레이첼···!

가더라도
이
근방일 텐데….

저 사람은….

어?

노이반슈타인
부인.

황태자
전하.

황궁에
계셨습니까?

황후 마마의
큰 배려로.

어머니께서도
참… 말씀해
주시지 않고.

3년 만인가요.

그간, 더 아름다워 지셨습니다.

…감사한 말씀입니다.

…내 착각인 걸까….

그 일 이후로 나에 대한 마음을 접으신 줄 알았는데

여전히 묘한 기류가 느껴져….

그러고 보니 곧 생일을 맞으신다 들었습니다.

아무래도 제가 자리하여 축하드리기엔 아직 때가 아니겠지요?

전하께서 찾아주시는 것만큼 큰 영광이 어디 있겠습니까.

하지만 올해는 건국기념제로 모두가 분주해, 이르지만 가족끼리 조촐하게 치렀습니다.

갑작스러웠는지라, 뉘른베르 공자도 참석지 못해 아쉬운 마음을 보냈답니다.

그렇습니까.

노라와 긴밀한 사이가 되신 모양이군요.

⋯⋯⋯

이젠

아들 친구니까요.

적개심을
숨기지
않으시는구나.

뉘른베르 공자와
전하 사이에
무슨 일이
있었던 것인지요?

ㅡ말씀드리기
조심스럽습니다만,

제가
할 수 있는 한
도움을 드리고
싶습니다.

......

전하께서
모르실 리
없다고
생각해서요.

황실의
안녕을
위해서라도
이 관계를
개선할 필요가
있다는 사실을

오오오...

—....
부끄럽네요.

실은,

저도 그게 참 의문이랍니다.

제가 짐작하는 사건이라곤

어린 시절, 뉘른베르 공작저에서 함께 놀다가

숙부님이 아끼던 파이프 하나를 깬 게 다거든요.

물론, 소란이 났고

노라가 전부 제 잘못이라고 화를 내는 바람에 일이 더 커지긴 했지만

숙부님께선 저희 모두를 용서해 주시고

철없는 어린아이들의 사소한 실수라고 다독여 주셨는데 ...

죄송합니다─.

빠른 사과

어라?
설마─

부인께서
돌아다니고
계셨던
이유가...

네⋯⋯.

대체
어디를
다녀온거니⋯

⋯⋯⋯

제가 부인을
너무 오래
붙들고
있었군요.

부디
황궁에서
즐거운 시간
보내시길.

생일 선물은
기념제
축일 때,

드리도록
하죠.

알았지, 레이첼? 내일은 마음대로 돌아다니면 안 된다?

꼬물 꼬물

응.

엄마 머리 땋아주는 거야?

예쁘게 잘 안돼.

익숙하지 않아서 그래.

—알리…

결국 이름 말고 다른 건 못 물어봤네….

기품 있던데… 왕족일까…?

그치만 사파비 책에 나오는 왕족들은 훨씬 화려한 옷을 입잖아.

고양이한테 물을 주러 직접 나선 데다…

내가 하녀라고 했는데도 무척 친절했어.

아마 왕자님을 따라온 수행원일 거야….

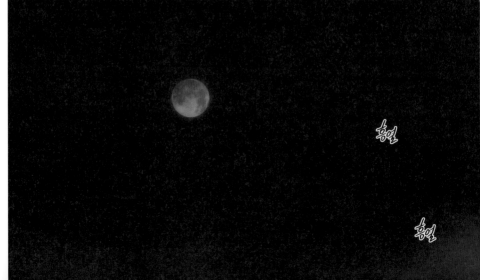

밤은
깊고~

달은
청량하고~

Chapter 20 세스 하우스

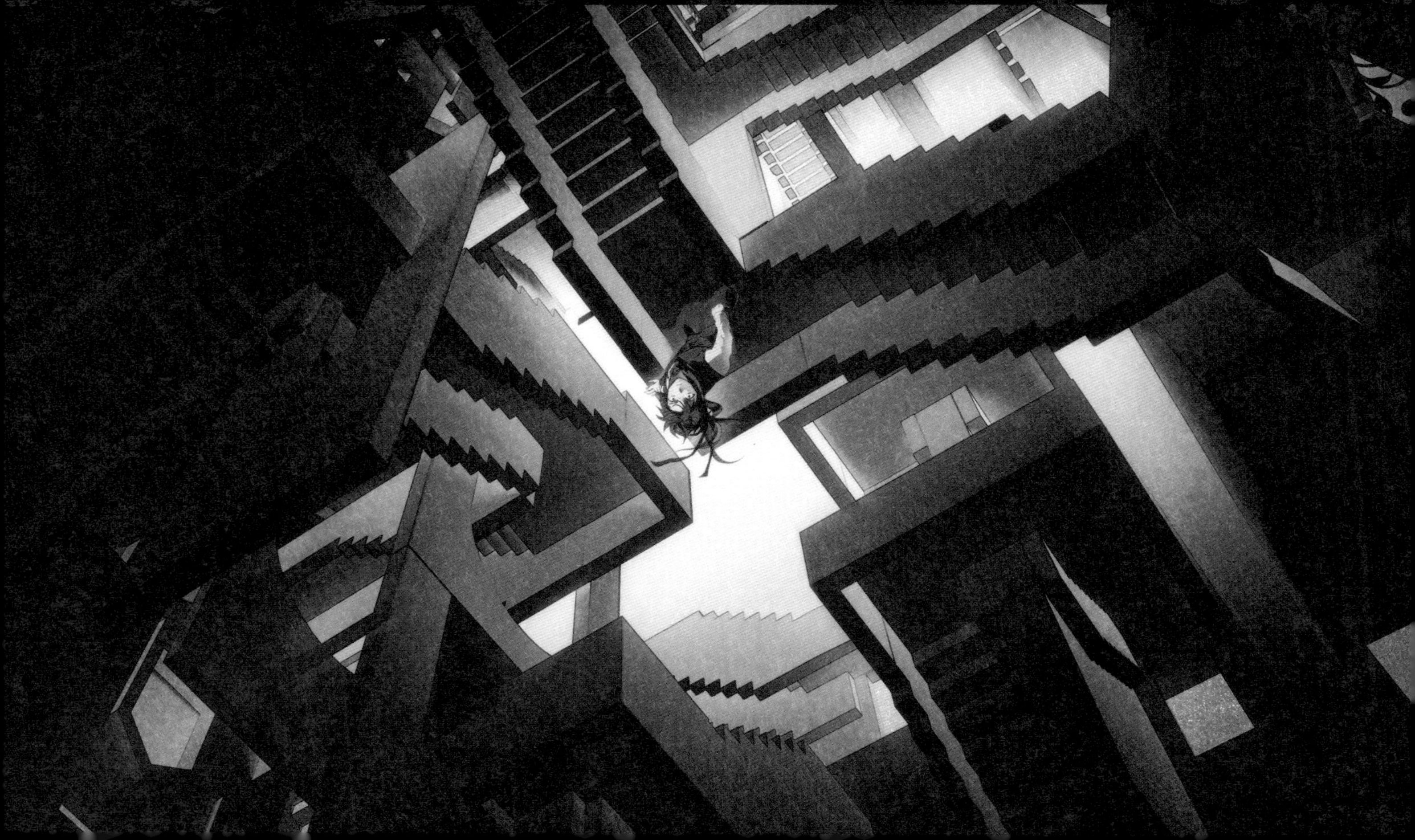

엘리아스.

기사가 되든가 결혼을 잘하든가 둘 중 하나지, 뭐.

엘리아스, 너희 형은 뭐 소식 없냐?

레이디들이 난리더구만.

재산도, 작위도 짱짱한 집안이랑~

꿈 꾸시네.

그런 집안이 너 같은 놈을?

?

…뭐가? 우리 형 인기 많아?

뭐야, 이놈 왜 이렇게 딸빵해?

몰랐어?!

하인리히 공작가와 진지한 분위기라 대놓고 구애는 못 하지만

속으로 끙끙 앓는 아가씨들이 산더미지!

오하라 양을 상대로 승산 있는 사람이 있긴 할까~

수도 최고의 미인~

같이 춤 한 번 춰봤으면~

뭐, 아직 약혼도 안 했잖아.

저런 얘긴 신경 쓰지 마.

그래, 맞아. 다 헛소리니까.

우리 클럽에 들어온 지 얼마 되지도 않은 놈들이 분탕을 치네.

재판 당시에 노이반슈타인 부인의 활약이 대단했잖아?

어라?

? 그리고 보니

……

3년 전 일이 왜 요즘 다시 떠오르는 거지?

그걸 가지고 이런 말, 저런 말이 나오는 게 아닐까?

입 다물어. 조용히 해.

헛소리란 것 정도는 나도 알아.

두 사람이 가까워진 이유는

슈리가 형을 위해 모든 것을 전부 포기하려 했고

형도 그걸 깨달은 만큼 노력하고 있기 때문이야.

?!!

뭐야, 여기?!

시끌 시끌

와글

와글

사교의 장!
'셰스 하우스'!

각종 게임과
내기를 즐기며
남자들만의
허심탄회한
소통을 하는
곳이지!

귀족 상점가에
이런 비밀스러운
장소가
있다는 건 아무도
모를걸?

어때?
고급스럽지
~?

술까지
마실 수
있는 건, 덤!

승리!

승리!

또 승리!

슈

북

......

—에이. 운이겠지.

말도 안 돼

이게 다 얼마냐

야, 엘리아스! 운도 실력이야!

너 카드에 재능 있는 거 아냐?

…. 이상하다 ….

분명

많이 따고 있었던 것 같은데….

어쩌지
….

슈리에게
데이트 핑계를
너무 많이
대 버려서

더구나

용돈을 더
받긴
힘들어.

이젠
만나는 사람도
없고……

꿀꺽..

두근..

두근..

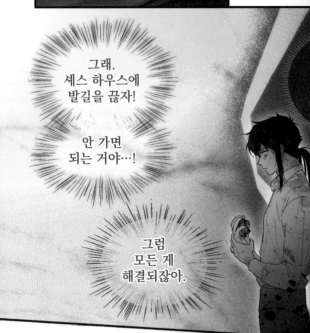

그래.
셰스 하우스에
발길을 끊자!

안 가면
되는 거야…!

그럼
모든 게
해결되잖아.

ㅡ하지만
잃은 만큼은
찾아와야
하지 않을까?

이번 일을 들키면
혼이 나는 정도로
끝나지 않을 텐데.

돈을
마련할 방법은
있나?

친구들은
다 하고 있는데
나만
그만두기엔….

두근

두근

대체

어떻게 하면
좋지…?

그런데,
보스.

이 도박장, 좀 특이한 것 같습니다?

햇병아리들만 득실득실 하잖아요.

어허

도박장이라니! 그런 수준 낮은 단어로 모욕하지 말라고 몇 번 말했냐!?

셰스 하우스는 엄연한 사교 클럽이라고! 사교 클럽!

주 고객층을 잘나가는 가문의 귀족 영식들로 잡은 건, 바로 이 몸의 전략이다!

가진 건 많지만 책임질 건 없는 녀석들이거든.

군사 강국 카이저라이히에선 열여섯이 되면 성인식을 치르지.

하지만 번듯한 직업을 갖거나, 혼인을 하기 전엔 사실상 애송이인 시절과 크게 달라지지 않는다고.

즉, 성인이지만 어른은 아닌 어중간한 위치에 놓이게 된다 이 말이야!

'체스 하우스'는 그런 녀석들에게 진정한 어른의 세계를 조금 일찍 맛볼 수 있는 공간.

쾌락도 즐기고 소속감도 느끼고!

머릿속으로 깨닫기도 전에, 아주 깊이 빠져버릴 수밖에 없을 거다!

그런데..

아무리 명문가 도련님들이라지만

자금력은 한계가 있지 않겠습니까?

뭐 하러 오래 끌어?

이건 천년만년 하는 사업이 아냐.

어엉~?

건들

건들

멍청하긴~

후딱 털고 쥐도 새도 모르게 튀어야지!

오래갈 수 있을까요?

게다가—

다급해진
애송이들은
아무도 모르게

저택 곳곳에서
값비싼 물건을
훔쳐 오기
시작하거든.

그 물건을 담보로
셰스 하우스의
칩을 받아서
다시 게임에 참여하는
거야.

물론,
그 담보의 가치를
판단하는 건

셰스 하우스
소속의
감정사지.

107

형?

뭐 해?

본전만
건지자.

그런 생각으로 하루하루 들락거리다 보면

수렁으로 빠지는 건 금방이야.

그동안 이 몸은 후려친 담보를 제값에 되팔아서, 차익을 꿀꺽하면 된다~ 이 말씀이지.

뭐, 빼돌리는 건 우리 고용주께서 눈감아 줄 정도로만~!

?!

이 자식들, 눈빛이 묘하게 거슬린다?

오이야~

이 나라에서 검을 들고 휘두를 수만 있으면 어른이지!!

나는 12살에 처음으로 노름을 했어!!

지금 내가 애들 등이나 쳐먹는 사기꾼이라고 생각하는 거냐?!

그렇게 세상의 쓴맛을 배우는 거야!!

도박장 맞잖아!!

이 작자는... 쓰레기다...!!

황태자 전하와의
독대라니,
영광입니다.

뭘~썸+

앞으로도 계속될,
마이스너 추기경과
나의 돈독한 우정을
위해서지.

허허

전하께서
도와주신
덕분에,

새로운 사업이
아주 잘
안착했습니다.

이는,
전하의 세력을
공고히 하는
자금줄로써
큰 역할을
할 것입니다.

사교 클럽이라고
했나?

대의만으로는
안 되는 일이
있는 법이지요.

힘을 키우는 일이,
이렇게 다방면의
노력이 필요할 줄은
몰랐단 말이야.

저와 함께
천천히 알아가시면
됩니다.

젊은 나이에 크게 출세한 건 사실이지만,

헛헛헛

음..

그 정도는 아닌데.

아니꼬웠을 뿐.

어디 나없이도

완고하기만 하고 수완이 부족한 그의 한계를

전하께서 제때 보신 겁니다!

생

탈주

갈데나 보게~♪

저를 후원해 주시기로 한 전하의 판단을 믿으시지요!

귀족들의 엄살에 일일이 끌려다니지 않아도 될 만큼!

차기 황제가 되셨을 때, 그 무엇과도 비교할 수 없는 든든한 관계가 되어 있을 겁니다.

싱긋..

그거

듣기 좋은 얘기네.

두런
두런

!

깜짝

?!

꾸벅

우다닥.

젊은 가주들 이구나.

무슨 얘길 했니, 레트란?

어…

…

그냥 인사…?

…….

그랬겠지.

... 아하.

그런데 너 이 녀석, 오늘 검술 시간에 말도 없이 사라져서 소란을 피웠다면서?

아버지께 걱정을 끼치면 되겠어?

우우...

힘들어서....

나도 마음이 답답한데

얘기할 사람은 없고….

그래?

고민 같은 건 내게 털어놓으면 되잖아?

...

힐끔

힐끔

포정으로 거부하다니.

눈치!!

음...

형님 말고 친구가 필요한 거로군?

건너 듣기론―

요새
네 또래의
명문가 영식들이
모여 노는 곳이
있다고 하더라.

자세한 건
모르겠지만

한번
알아보는 게
어때?

The Fantasie of
a Stepmother

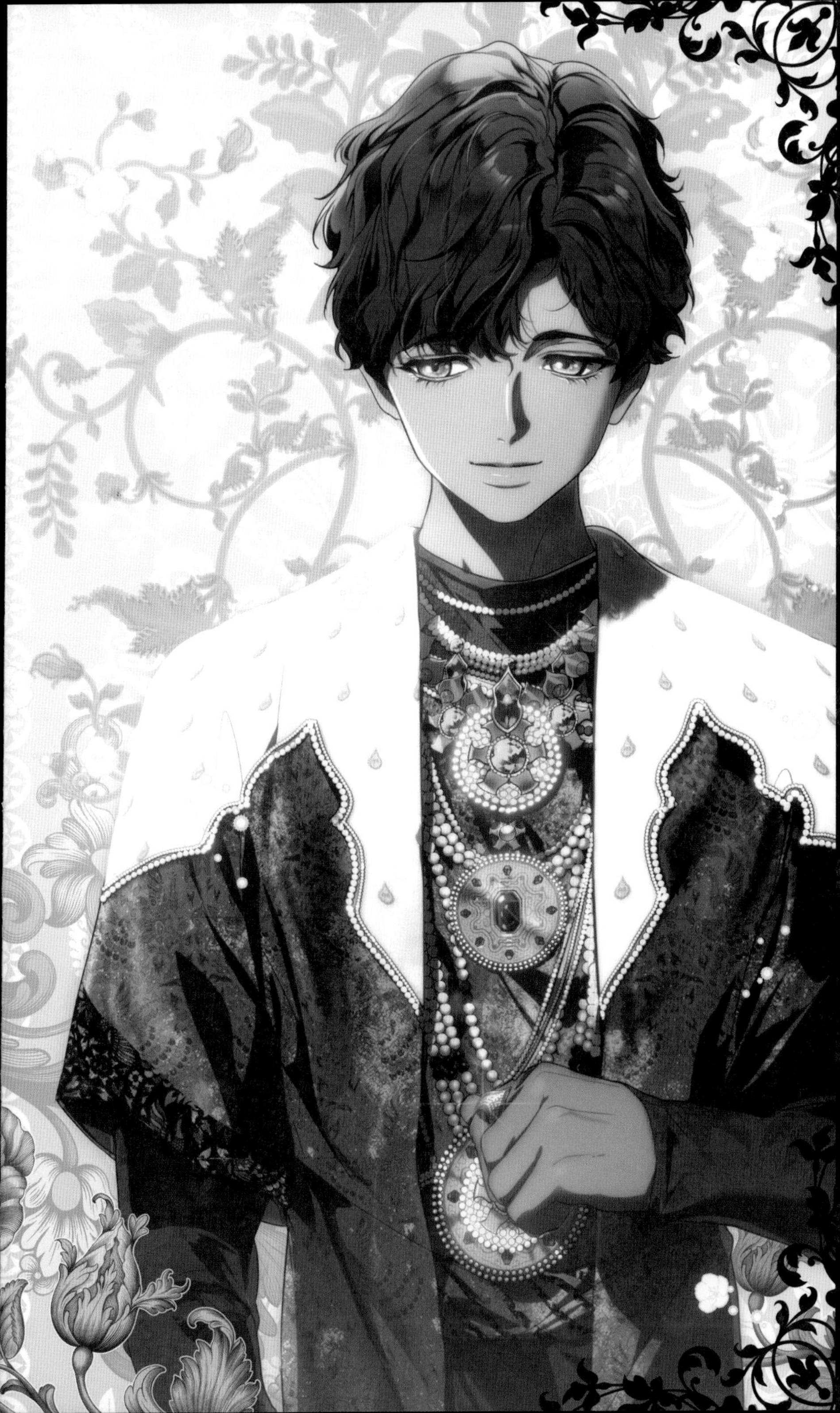

Chapter 21 개막(1)

The Fantasie of

a Stepmother

저 위에 있는 건 뭐야?

아버지 파이프예요.

아~

사파비 왕실에서 선물로 줬다던.

요이요..

장식?

궁금하지 않아?

씨익~

건드리면 안 되는데.

아버지가 아끼시는 거라.

칫

숙부님 피우시는 거 멋있어 보였단 말이야.

끄덕..

우리 한 번만 꺼내 보자, 노라!

!?

금방 다시 돌려놓으면 되잖아!

……

ー…
그렇게 해요.

잠깐 이라면.

야호!

잘 잡아 줘.

123

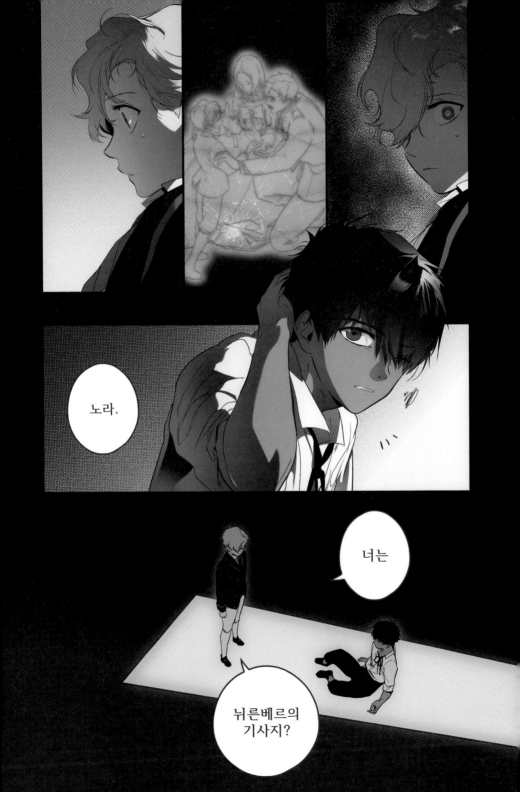

127

ㅡ...

아°°°
이건

별거
아닌데
....

이거
놓지
못하겠느냐,
알브레히트
!!

전하를
황궁으로
모셔라.

내,
오늘에야말로
저 녀석의
버릇을
고쳐놓겠다!!

제 아들이니
훈육도
제가 합니다.

...진정하십시오,
아버지.

왜

왜
제가

못된
골칫덩이가
되는 거예요?

테오발트는
거짓말을 해도
아무렇지
않죠?

ー노라.

세상은 때로,
진실보다
우선되는 가치가
있다는 걸

이해해야
한단다.

131

싫어요.

기사의
명예가
고작
그런 거라면

나는
누구에게도

충성을
맹세하지
않을 거야.

와아.

와.

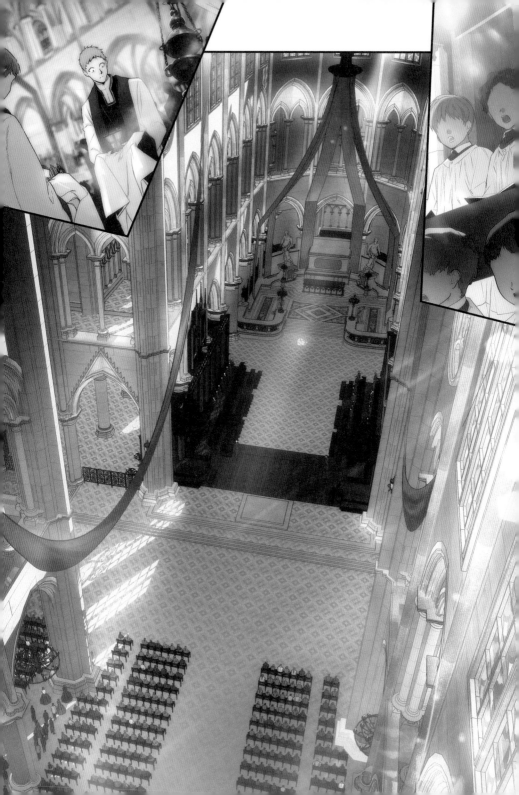

……。

추기경단의 여유로운
모습에 비해…

교황의 상태는
멀리서 보기에도
좋지 않아.

에우게니오의
건강이
악화된 적은
전에도 있었지만,

이젠
거동이 어려울
정도라니…

긴장을
놓아선
안 되겠는걸….

저런.

마냥
어리다고만
생각했던
레이첼의 얼굴에

사랑이
피었다.

그 작은 가슴에
언제 이렇게
애틋함이란
씨앗을 심었는지.

이른

첫사랑
이로구나.

아이의 온몸을 덮듯
따뜻하게 감싸 오른
기쁨의 열기가

나에게도
너와 같은 시작이
있었는지 묻는 듯하다.

그 사람을   처음 만난 날.

내 이름을 부르며,
나지막한 목소리로

칭찬해 주었던
날.

그때마다
나의 마음에 핀
감정은
무엇이었던가.

시작이라 말하기엔,
그는 너무도
거대한 존재였다.

나도 언젠가
아이처럼
사랑할 수 있을까.

기쁨에 차,

누군가를
온 힘으로.

백조의 홀-대연회장

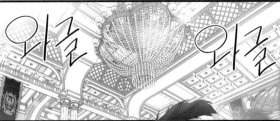

와글 와글

와글

와글

와글

레이첼 폰 노이반슈타인 이에요.

알리 파샤입니다.

뒤늦은 통성명!

미안해요.
그때는 정체를 들키면 안 된다는 생각에 그만—

천방지축으로 소문이 날까 봐 걱정됐어요.

아닙니다.
저도 제 신분을 확실히 하지 않았는걸요.

도란 도란

그리고…

흐음~

어디 보자

왕자…
센스가 좋은걸?

연회장의 모두가 인사를 나누느라 바쁘고,
우리 집 다른 말썽꾸러기들이 없는 찰나를 잘 노렸어!

내적 면접

저는 레이첼의 정체가 무엇이든 상관없었어요.

그저 레이첼을 다시 한번 만나고 싶었거든요.

아야

멋진 대사!

마음가짐 합격!!!

남자 보는 눈이 있구나,
우리 딸…!!

이번 여행길에는 저희 누님이 노이반슈타인가에 보내는 선물도 잔뜩 싣고 온지라,

그렇지 않아도 인사를 드리며 방문 허락을 구하려던 참이었는데

인연이란 참으로 신비합니다.

할리메 공주 말씀이로군요.

그간 편지로 안부를 묻는 것이 전부였어서, 그녀가 많이 그립네요.

공주께선 잘 지내고 계신지요?

누님은 건강하십니다.

왕궁 노잼

잡아와

앗, 또...

아이고 공주님

가만히 좀 계십시오

연로하신 아버님께서 편히 지내실 틈이 없을 정도로 기운이 넘치시지만요….

누님이 아직도 혼인을 안 하신 것이 현재 사파비 왕실의 큰 걱정이어서—

한시도 바람 잘 날이 없습니다.

이 집이나 저 집이나 난리로구나!!

아, 아무튼.

기쁜 날을
맞아,

노이반슈타인가의
가주이자
제국 귀족원 의회의
일원으로서

왕자님의
내방을 진심으로
환영합니다.

저희 저택은
언제든 왕자님을
맞이할 준비가
되어 있으니,
꼭 한번
찾아주세요.

부인의 환대에
어떻게 감사를
드려야 할지….

그럼, 조만간
나시르를 통해
방문 일정을
전달드리지요.

나시르

어쩐다…?
애매하게
여유가
생겼네.

춤을 추기엔
좀 이르고….

모처럼
곁이 조용해
졌으니―

어수선하던
생각이나
정리하는 게
좋겠지?

시끌

시끌

?

저쪽은
왜 저렇게
복작하담?

꺄
아

꺄
아

시끌

시끌

세상에,
공작
부부께서도
참!

시끌

시끌

이번에
처음 나오신 게
확실한가요?

이렇게
멋지게 장성한
자제분을
집 안에만 꼭꼭
숨겨두고
계셨다니!

어째서
다른 연회에선
한 번도 뵌 적이
없는지
모르겠어요!

당연하죠!

이런 분이
오셨다면,
큰 소란이 났을 게
분명하잖아요!

너무해요!

노이반슈타인
부인.

오랜만
이에요.

ー?!

노…

노라였니
?!!?

아

차려입은 거
처음
보시죠.

세상에!
내 쪽으로 뚜벅뚜벅
걸어오는데,
바로 눈앞에 설 때까지
너인 줄 몰랐어!

성큼
성큼

앗

미흡이
다가오는 건지.

흠···
좀 더 자주
보여드려야
되나?

평소에도 누나 볼 때는
신경 썼는데····.

머리를
넘기니까
이미지가 확
달라지네?!

차림이 낯설어도
이해해 주세요.
연회는 불편해서
전부
거절하는 데다,

누··· 부인께서
초대해 주시는 파티는
형식에 구애받지 않는
분위기였던지라.

모두 가벼운
옷차림.

그랬구나···.

나도 참,
인사도 제대로
하지 않고
무슨 말을
하는 거람.

오늘,
아주 멋지다.
노라.

네.

부인께서도
아름다우십니다.

—그러니.

고맙구나.

그런데
왜 혼자 계세요?
녀석들은요?

다들 각자의
자리를
찾아갔지.

이젠
내가 하나하나
챙겨줄 필요가
없어진 것 같아.

그 김에, 혼자 조용히 생각이나 정리할까 싶었단다.

나도 진심으로 연회를 즐기는 편은 아니거든.

시끌 시끌

흠...

누나가 생각할 시간을 원하시는 걸 보니…

아무래도 사자들 중 한 마리가 또 속을 썩이고 있는 모양인데요?

정답!!

그런 셈이지…

만족

만족

만진진

대단하구나.

게다가, 아이들이 자라도 사색에 잠길 수 있는 시간은 여전히 귀하더라구.

그렇군요.

만족

힐끔

멀어진 방해꾼들 호호호~

이번 기념제는 멋진 청년들이 많으요~

…….

노라… 혹시

최근 귀족가 영식들 사이에서 유행한다는 카드 게임에 대해 들어 봤니?

!

......

네.
상점가에 퍼진
그거죠?

역시
잠깐 인기를
끌었다 사라질
분위기는 아닌
모양이네.

저나
제레미 녀석이나,
바깥을 쏘다니는 게
더 적성에 맞는
성격인지라
자세히는 모르지만

제 친구들이
종종 떠들어
대더군요.

노상에서
플레이하는
사람도 봤고요.

사실…
내가 걱정하고
있는 게
뭐냐면…

압니다.

!

와글

와글

엘리아스로군요.

와글

와글

와글

와글

와글

와글

부…

분위기 무셔….

…

꿀

꺽

저 사람… 하인리히 공작의 연인 아냐?

오하라에게 반가울 상대일 리가 없는데…?

도대체 왜 말을 걸었지?!

영광의 땅, 제국의 건국을 축하하며.

우리, 대면은 처음이죠?

생글 생글

얼굴 한 번 보기가 참 힘이 드네요~

하인리히는 그간 묵은 이야기를 풀어야 할 것 같아, 저만 살며시 왔답니다.

인사가

많이 늦은 것 같아서.

나를 불편해 하는 건 알아요.

그와의 만남이 순탄했다고 하긴 어려우니까.

오하라 양은 사랑을 이해하기엔 아직 많이 어린 나이고요.

하지만, 어쩔 수 없잖아요?

세상엔 빛나는 것과, 그걸 꼭 잡아야만 직성이 풀리는 자가 있는 법인데.

방긋

그러니까 우리도 이제는 잘 지내보는 게 어때요?

우.... 웃고

히익

있잖아?!?!

네에.

저게 더 무서워ㅠ!

말씀대로예요. 아버지께선 빛이 나는 것에 맹목적인 분이시죠.

해서…

이제는 걱정이 많이 크실 텐데.

응응

으쩔..

그런 아버지를 혼자 두고 오셨다니, 저를 정말 깊이 생각해 주고 계셨나 보네요.

그간 아버지께 많은 공을 들이셨음에도 불구하고 아직 제자리이신 그 마음, 모르는 것은 아니나

실망 마세요.

제아무리 빛이 난들, 사그라들 때가 찾아오기 마련이죠.

연애사는 그저 개인의 일일 뿐… 저는 **말을 얹을 생각이** 없답니다.

별수 있나요?

아버지께서는 그런 분이신데.

씨익

씨익

잠시 머리를 정돈하고 올게.

탁..

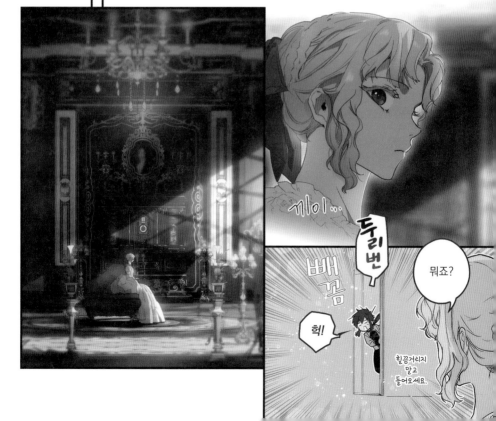

끼이...

두리번

빼꼼

뭐죠?

힉!

힐끔거리지 말고 들어오세요.

그야—
단장 중인 숙녀분이라도 있으면 실례잖아?

남녀 공용의 휴게 공간인 걸요.

게다가 아직은 연회 초반이라 아무도 안 올 거예요.

오오

다행, 다행.

수

물이야.
목이 탈 것 같아서.

고마워요.

······.

왜 엘리아스가 긴장한 거죠?

프끔!

!!

조금 전 일···
엿보려고 한 건 아니었는데···.

괜찮아요.
남들에게 보여줄 의도로 말을 건 거니까.

다른 꿍꿍이도 있었겠지만.

아버지의 에스코트를 받아 황실 연회까지 왔으니,
저와도 스스럼없다는 연출을 하고 싶었겠죠.

제가 만만한 상대가 아니라는 걸 그녀가 모르고 있었던 게 변수지만요.

결국 새빨개진 얼굴로 허둥지둥 도망치는 신세가 됐지.

어떻게 그렇게 차분하게 쏘아붙일 수 있는 거야?

난 누가 헛소리를 지껄이면 확!! 주먹부터 나가는데!!

그렇게 싸우면 안 돼요.

노이반슈타인 답군요.

쒹!

쒹!

성!
리!

... 글쎄요.

상상 속에선 이미 여러 번 벌어졌던 일이라서

놀랍지 않았나 봐요.

─전 아버지라는 사람을

잘 알아요.

상대를
미워하면

그녀를 곁에
두시는
이유는

온 사교계가
알고 있을 정도로
오래된 관계지만,
하인리히라는 성은
주어지지 않는

아버지의 귓가에
속삭이는 그녀의
칭송과 헌신이
아직은 달콤하기
때문이라는 걸.

그만큼
잘 알게
되더군요.

그 정도의
관계라는 걸.

그래서
태연할 수
있었어요.

하지만
문득

초조해지기도
해요.

혹시라도
내가 모르는
감정의
끈으로

둘 사이가
엮여 있는 것은
아닐까.

맞고 싶지 않은
그런 날이
오는 것은
아닐까.

견디기 힘든
불안에
휩싸일 때도

괜찮을 거라고
되뇌지만

있더군요.

어머

이런 얘길 왜 엘리아스에게 하고 있을까요, 저는?

충격

쳇! 궁시렁 내가 뭐 어때서... 궁시렁

조옹...

?!

응? 어?! 왜, 할 수도 있지!!

까끔 짝

아뇨. 싫어요. 이제 안 할래요.

연회장으로 가 봐야 겠어요.

솔직히

엘리아스가 왜 레이디들에게 인기가 있는지 의문이었는데.

이젠 조금...

알 것 같기도요.

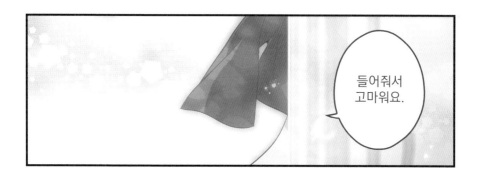

들어줘서
고마워요.

…칭찬

응?

인기 있는 게
의문이었다고?

인가?

시끌

압니다.

시끌

시끌

엘리아스
로군요.

그렇긴
한데….

시끌

시끌

어떻게
내가 말하기도 전에
누굴 걱정하는 건지
바로 알았니?

쌍둥이는
자동 제외 !!

카드
게임
이니까

하하

용의선상에서
제레미를 제외하면
남는 건 그 녀석
하나뿐인데요, 뭐.

그리고…
누나가 유난히
조심스러우면

시끌

시끌

그 녀석
일이더라고요.

아마
다른 아이들에 비해
조금 더 민감한 구석이
있기 때문이겠죠.

나도 참.
그런 게
드러나는구나.

노라의 말이
맞아.

지난 생에선
분명,
제레미를 대하는 게
더 어려웠는데

그 아이와
친숙해진 지금은
오히려
엘리아스가
난관이란
말이지.

과거의 경험으로
현재를 대비할 수
없게 된 뒤로는
더욱더…!!!

난이도
급상승!!

제레미는
성격이 불같아도,
단순한 면이
있지만

단순

노이반슈타인가
연구발표회

어머니로서
한마디
해주시죠!

애들마다
다릅니다.

예측할 수
있는게
아니에요.

엘리아스는
도무지 어디로 튈지
알 수가 없으니
…!

복잡

신이시여…!
회귀시킬 거라면
좀 쉽게 만들어
주시지 않고…!

아무튼
누나가 보시기엔,
그 녀석이 영
애먼 짓을
하고 다니는 것
같단 말씀이시죠.

와글

와글

그렇단다.
아직 확실하진
않지만

매일
어디론가 사라져서
늦은 시간에
돌아오거든.

얼마 전까진
데이트가
이유라고
생각했어.

실제로
귀족 가문의
영애들과
만남이
잦았으니까.

하지만
최근 그 아이의
분위기와 상황을
보면…

아무래도
안 좋은 일에
휘말린 것 같다는
느낌을 지울 수가
없단다.

상황이라
하시면?

며칠 전,
레온이 고민 끝에
내게
알려주기를

금장식 하나를
만지작거리고 있던
엘리아스에게
말을 걸자

갑자기
얼굴이
하얗게 질려서
도망쳤다고
해.

카드 놀이와
나쁜 손버릇의
조합이라….
미행은
붙여보셨어요?

기사들에게
행적만
확인해 달라고
했어.

그런데…

"상점가에서 놀다가
갑자기 어디론가
감쪽같이 사라집니다."

직접 다그쳐도 봤지만 전부 아니라고 하니, 더 캐물을 수가 없더구나.

……

노이반슈타인의 기사들에게 좀 어벙한 면이 있다는 걸 감안해도

어벙…!

그들을 따돌릴 만한 시점이 있었다는 건, 제가 보기에도 미심쩍군요.

아무튼 사안이 그렇다면

제레미 녀석이 가만 놔뒀을 리 없는데…

그렇지.

아직 말하면 안 된다?

엘리아스가 멀쩡히 걸어 다니는 걸 보니 저 느림보는 아직 모르고 있단 거네요.

오호라..

제레미가 알았다면 사실 확인도 전에 이미 엘리는 두 동강이 났을 거야.

뎅겅!

알겠습니다.

그럼 제가 한번 조사해 보죠.

!

아니야, 그건 너무 폐가 될 것 같아서.

펴…?

누나가 절 도와주신 게 훨씬 많은걸요.

정말 그쪽으로 빠진 거라면 최대한 빨리 잡아내야죠.

개인적으로는

어서 시원하게 밝혀내서, 그놈이 혼쭐나는 꼴을 좀 보고 싶기도 하고요.

그렇다고 제가 직접 뭘 어쩌겠단 얘기는 아닙니다.

오아

둥—

셔리는 저쪽 담당

이번에는 나조차도 말릴 수가 없을 것 같은 불길한 예감이 든다!!

네가 나서준다면 고마운 일이긴 한데, 역시 마음에 부담이 되는구나.

역시… 답례로 내가 해줄 수 있는 게 없을까?

답례라….

그럼

누나도 제 부탁 하나 들어주실래요?

물론이지! 뭐든지 말해보렴.

어라? 잠깐….

갑자기 드는 이 생소한 기분은 뭐지?

분명 익숙한 상황인데 익숙하지가 않은 그런 느낌적 느낌.

설마 지금…

노라가 뭘 원하는 모습을 본 게

처음인 거야 ??!!

스쳐가는 지난 기억

와~ 귀여운 케이프~!

이것을 캐셔어서 100 짜리로~ !! 맡게 워서~

노라, 너도 외투 하나 하자! 마음만 받겠습니다.

생일 선물은…

이런, 내가 비장의 카드를 너무 빨리 써버렸군.

뭘 또 조서려고

도리어 무슨 부탁을 할지, 엄청나게 궁금해진다!!

듣기도 전에 수락할 기세.

후후후

뭘까

뭘까

엄청난 건 아닌데….

혹시 신나신 건가요, 누나?

내일, 거리에서도 큰 축제가 열리거든요.

저희 두 놈 거느리고 다니시면 위험할 일은 없을 겁니다.

씨익☆

와아ㅡ!

볼거리가 많을 거예요.

마침, 제레미 녀석도 궁금하다고 하고.

길거리 축제라니, 재밌겠는걸?

좋아, 그러자.

내 부탁에 비하면 이건 너무 즐겁기만 할 것 같네.

거기에 누나가 함께해 주신다면 좋을 것 같은데, 어떠세요?

와글

와글

시끌

시끌

시끌

시끌

흥얼

흥얼

지켜만 보실 겁니까? 폐하.

귀빈들도 있는 자리입니다.

시끌

시끌

시끌

시끌

시끌

......

두시오.

사리 분별은 하겠지.

……ㅁ

와글

오늘도
눈부신
자태이십니다,
노이반슈타인
부인.

와글

이것이
어머니께서
선물하신
드레스로군요.

잘
어울리세요.

과찬이십니다,
황태자 전하.

와글

와글

그리고…

노라,
너도

웬일로
특별히
신경 쓴 것
같네.

용건이
뭡니까?

그냥 인사 좀
하고 싶었을 뿐인데,
무슨 큰일이라도 난
얼굴이구나.

너무
딱딱하게
굴지 마.

모처럼
멋진 모습인데
즐겨야지.

노라의
표정이
차가워졌어.

이럴 땐
마치—

내가 아는
노라가
아닌 것
같아.

뭐,
실은.

음악이
몇 번이나
바뀔
동안,

부인께서
한 번도
춤을 추지
않으신 것
같아서
말입니다.

！

한곡

청해도
될까요?

응?

왜?

네 쪽이

선약 같진
않았는데.

무슨 일이야, 슈리? 누가 귀찮게 해?

눈에 힘 좀 풀어라.

제레미 …!

아,

잠깐…!

이런 분위기에서 제레미까지 합류한다면, 그야말로…!

최악의 시한폭탄 조합…!!!

푸으하하
하하핰!!!!!

파스스..

넛 나감

빠른 걸음!!

그,
그렇습니까?

그런 의미에서
공작님이
제 창피함을
모면해 주셔야
할 것 같습니다.

아버지로서
아들의 부채를
짊어지셔야지요?

네네

저와
한 곡 추시죠.

시끌..

시끌..

시끌.

시끌.

휴….

정원 구석

이번에 새로 맞춘 구두라 그런지, 발이 많이 아프네….

열심히 걸어 다니기도 했지만,

그나저나, 아까 있었던 일은 정말 아찔했어.

공작 부부께서 재치 있게 받아주셔서 천만다행이었지.

냉랭하다 못해 적대적인 두 사람.

이는, 모든 세력을 균형 있게 견제해야 하는 황실에게 있어, 상당히 위협적인 구도다.

황실의 입장에서 가장 이상적인 그림은

기사의 긍지와 무력의 상징인 뉘른베르 가문과

황금 사자 노이반슈타인을 좌우에 두는 것인데….

테오발트 황태자는
양쪽의 차기 가주
모두와
소원한 상태.

더구나
관계의 개선을
도모하는 대신,

교권의 인사들과
친밀하게 지내는
길을
선택한 듯하다.

전하의 방식으로는
점점 약해지고 있는
황권의 강화를
이루기 어려워.

커가면서 점차
괜찮아질 거라
여겼던 일들이

이대로라면
영원히
풀리지 않을지도
몰라….

겉으로
드러난 것
이상의,
다른 복잡한
이유가 있어.

능숙해 보였던
모습의 뒤편은
구멍투성이.

어째서
순간의 이익을
쫓기에만
급급한 걸까.

어째서
그렇게

파삭..

제 살을
깎아 먹는 듯한
행동을—

멈
칫

대답할
필요는
없습니다.

Chapter 22 개막(2)

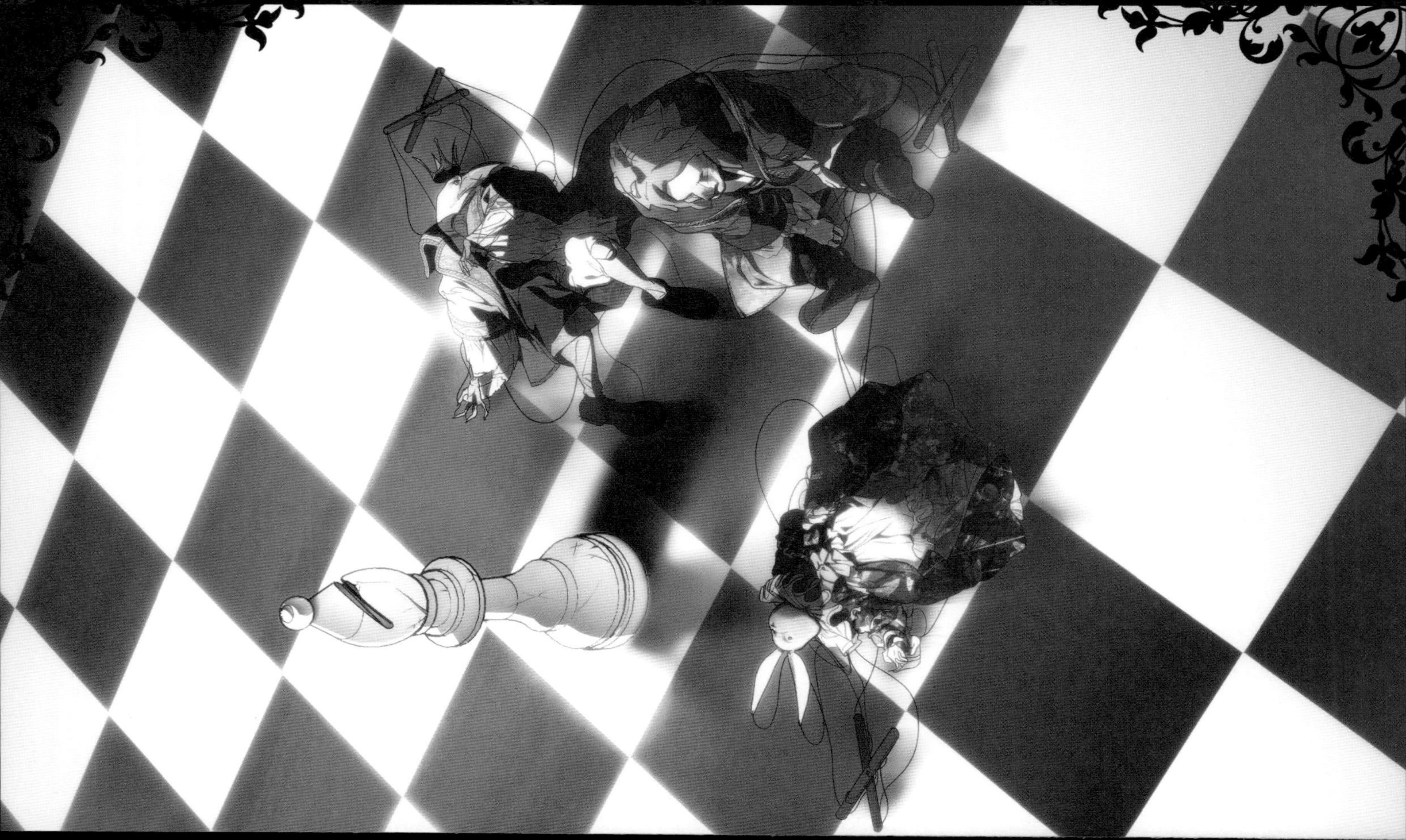

The Fantasie of

a Stepmother

비틀 빠악 꾸벅 꾸어

?!

개그하냐?

어라…? 엄마 아직도 안 왔어? 바로 집에 갈 거라고 했는데…?

잠깐 옷매무새만 고치고 올 테니, 기다려~

별떡!

큰오빠! 출동해!!

시키지 않아도 그럴 거다.

얌전히들 있어.

레온, 저건 머리가 완전 돌이야!!

든 게 많아서 무겁냐?!

우씨! 졸다가 실수한 것 가지고!

투닥 투닥 투닥

아

츠

얌전히들 있으라고 !!!

말한 지 3초도 안 지났다!!

……

마치, 기도문을 읽는 듯
낮고 무거운 목소리.

하지만 그 속에
피부를 찌르는 것 같은
날카로움이 있다.

리슐리외
추기경이로군.

…그날의
이야기라면,
이미 끝난 걸로
아는데요.

대화란

나와 당신 모두,
얻은 것이 없으니
끝났다고
할 수 없지요.

어떤 주제에 관해
의미 있는 결실을
거두는
행위입니다.

당신의
마지막 말을
생각해
봤습니다.

"독선은"

"타인의 진심에
닿을 수 없으니까요."

제법,
일리 있는
지적이었기
때문에.

—!

지적이라….

그렇게
받아들였구나.

…어째서 갑자기
저의 의견 따위에
의미를 두시게
되었죠?

전처럼
예하의 시야에
존재하지 않는
것처럼…

아니.

주제도 모르고
예하의 작품 주위를
맴도는
음험한 여인으로
대하시는 편이
나은 것 같은데요.

우습게도,
지금보단 그때가 더
편했던 것 같아서
말이에요.

…….

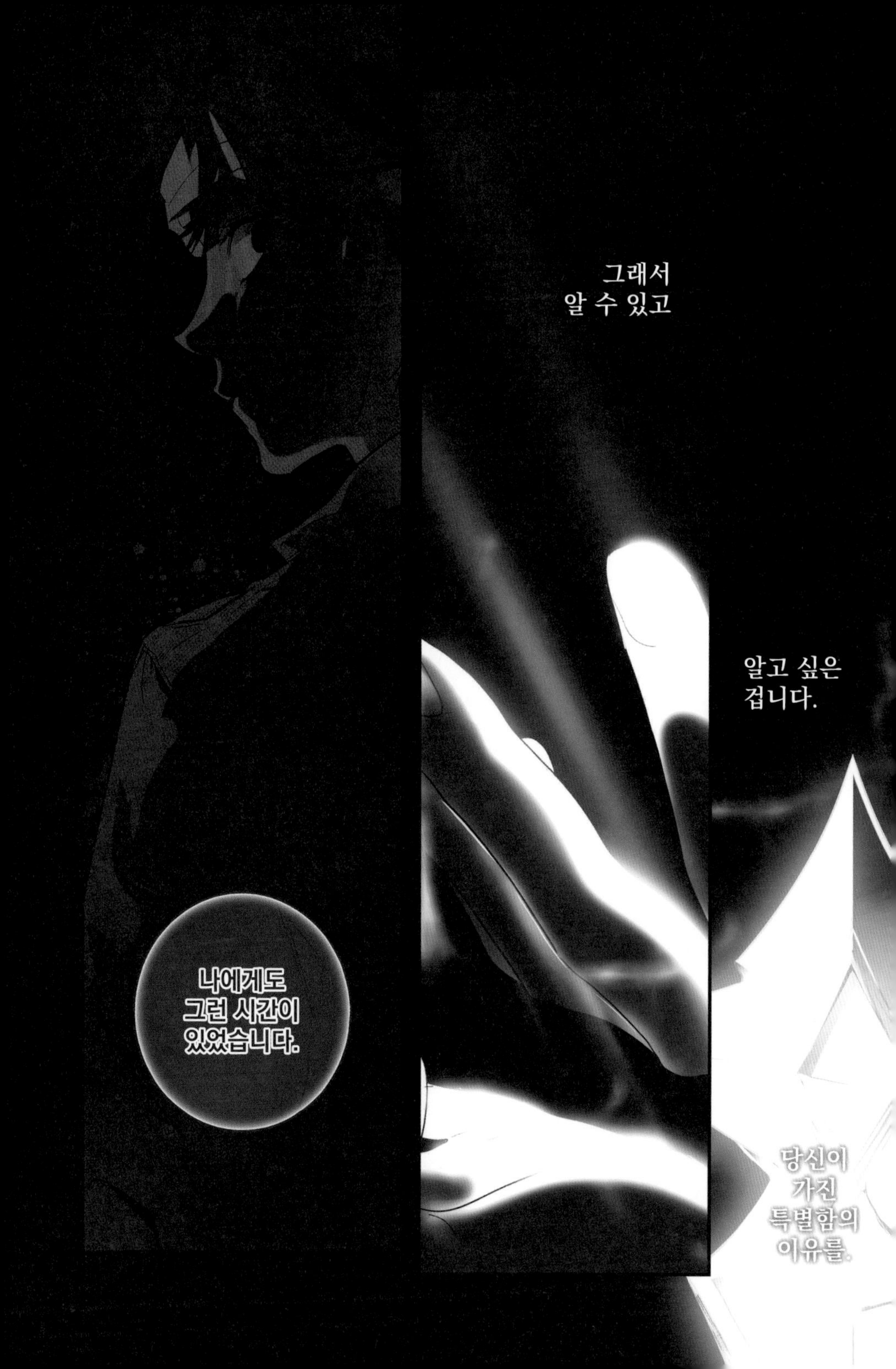

그래서
알 수 있고

알고 싶은
겁니다.

나에게도
그런 시간이
있었습니다.

당신이
가진
특별함의
이유를.

슈리 폰
노이반슈타인
….

나는 당신의
가치를
확인하고
싶습니다.

그래야만,
당신의 존재가

더 이상
거슬리지
않을 테니까.

알아 두는
편이
좋을 겁니다.

진실을
알기 위한
내 나름의

선의
입니다.

뭐야.

한참
찾았잖아,
슈리.

걱정 끼쳐서 미안하구나.

그런데 내가 여기에 있는 건 어떻게 알았니?

아무나 붙잡고 물어봤지.

분홍색에 머리가 긴—

아아, 저리로 가던걸요.

유명인

빤~

뚫어져라

응?

따끔!

누가 있었어?

아니?! 그냥 발이 아파서 잠시 쉴 것 뿐이란다!!

흐음

그래?

혼자 쉬고 있었던 사람치고는 어째…

긴장한 것 같은데?

ㄱ...ㅣㅇㅑ

나, 왜 변명하고 있니!!

발을 만지고 있는 모습을 누가 볼까 봐서!

이러지 말고 어서 아이들에게 돌아가자. 다들 지쳤겠다.

엉

레온 녀석, 곯아떨어지려고 하더라고.

"오직
전능이라고밖에
설명할 수 없는
현상으로"

"당신의
가치를
확인하고
싶습니다."

"다시
살아 숨쉬게 된
기적…."

"……."

투철한 신앙심을
갖고 있기로,

이제까지 그가
건넨 말을
되새겨 보면

이전과는
비교도
할 수 없을 만큼
다른

교황청 내에서도
손에 꼽히는
리슐리의 추기경.

신이 내린 어떤
중요한 계기를 통해,
지금의 삶을
새로이 얻었다고
믿는 듯하다.

혹은,
이전으로 절대
돌아갈 수 없는
삶.

내게
내려진

이 두 번째
생처럼.

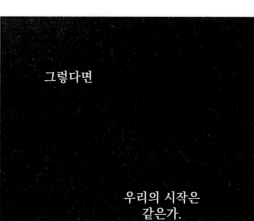

그렇다면

우리의 시작은
같은가.

같은 기적에서
태어나

같은 의무를
지니고 살아갈
운명임에도

다른 길을
택하고자
한다면,

그는

어떻게
반응할
것인가.

리슐리외 추기경과 나의 위치를 따져보자면… 오히려 대척점에 가까울 거야.

게다가…

그가 내 삶에 참견할 권리는 없지.

무엇을 담고 있는지 모를 검은 속내는

앞으로도 수수께끼일 테지만….

그러나 느낄 수 있다.

그의 눈빛과 목소리에서.

잘 벼린 칼끝 같은 서늘함과 공기를 가르는 철의 내음을.

내 안을 휩쓰는 원인 모를 불안을.

어쩌면 나는

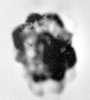

이미 들었는지도 모른다.

분명 아직 멀리 있을 그의 답을

무슨 생각해?

살짝~

내 말에 대답도 없구.

으응. 아니야, 좀 피곤해서 그래.

요새 꿈자리가 안 좋은지, 낮에도 살짝 멍해지네.

......

꿈 때문 아닌데.

엄마한테 비밀로 하는 게 맞는 건지 잘 모르겠어.

하지만…

우리 레이첼 외출복으로 뭐가 좋을까—.

…엄마… 충격받을 것 같아.

그러지 말고, 나 옷 직접 골라줘!!

앗

저번에 새로 맞춘 녹색 드레스는 어떠니? 레이첼의 눈 색과 잘 어울릴 텐데.

좋아!!

그때 나 예뻤지?

…?!

이…
이게…!

대체
이게 다
뭐죠??!

빵 빵

선물입니다.

짠~

그건 알겠는데,
너무 많아요!!

사파비의 특산품을 최대한 다양하게 준비하다 보니 그만, 끝을 모르고….

아, 저건 누님의 초상화입니다.

사라라라

초상화까지?!

무슨 일이 있어도 저 그림만큼은 꼭 넣으셔야 겠다고….

'날 잊지 말아요.' 라고 하시며….

으악, 이게 뭐야!

두근 두근

답례를 어떻게 하느냐, 그것이 문제로다…!!!

허어— 뭔 놈의 짐이 산더미처럼 들어오냐?

슈리! 출발하자! 해지기 전에 돌아오려면 지금 떠나야지.

처억

앗?!

제레미 오빠는 뭐야?! 설마 나와 왕자님의 오붓한 시간에 끼려고?!

절대 안 돼!! 방해하지 마!!

코끼리 보러 갈 거란 말이야!

차단!!

어머!

뭐래! 관심 없거든?

그게 아니란다, 레이첼.

복각

시끌

복각

시끌

웅성

웅성

저벅

오~
생각보다
북적이네?

그러게.

218

맛있는 냄새가 나는데, 고긴가?

큥

짠~~~

아
노라! 우리 왔어.

많이 기다렸니?

아뇨, 저도 방금 왔어요.

다행이구나.

드레스는 움직이기 힘들어서 수수하게 입어봤는데, 이 정도면 적당하겠지?

양 갈래 귀엽다.

?

바깥나들이는 오랜만이라 재밌을 것 같긴 한데…

나랑 다니면 너희가 좀 지루할 것 같아서 걱정이구나.

그래서 우리 갈 거니, 말 거니?

워릭!!

너희끼리 계속 싸우면, 나 혼자 구경 간다?

안 됩니다.

야, 슈리! 길 잃어버려!

자박

자박

자!

척

가시죠.

!?!!?!?!?!?

싸아아아ー

나는 걱정 말고,
너희들이나
길 잃어버리지 않게
조심하렴.

손 꼭 잡고
다니는 것도
잊지 말고~

무슨 짓이야,
슈리!

손이
썩는 줄
알았잖아!

내가
할 말이다.

그럼,
누나가
보호자 역을
해주실래요?

그럴까?

호오….

지글
지글

이 요리는
뭐지?
생선구이인가?

궁금하면
먹어봐.

뚜게

시끌
시끌

어서 옵쇼,
어서 옵쇼~!!

신흥 예술가,
크라나흐의
신작~!!

응접실에
걸어놓기
좋습니다요~!

시끌

시끌

미술상인가 봐.
재밌겠는걸?

구경하고
갈까?

좋죠.

스으

눈빛이
달라서.

그랬군요.

그림
좋아하는구나?

직접
그리기도
하니?

네.

어렸을 때
얘기긴
하지만요.

그럼···

지금은 안 그리는 거야?

저희 집안 어르신들이 워낙 싫어하셔서요.

상상되시죠?

그건 아쉽네.

노라는 섬세한 면이 있어서 솜씨가 좋을 것 같은데.

한번 보고 싶다.

누구에게 보여줄 만한 정도는 아니에요.

딱히 재능이 있지도 않았고.

취미에 재능이 필수적인 건 아니잖아.

이 대리석, 나만큼 스타일이 좋은데?

이거야말로 진정한 예술인 듯.

누가 더 더 나아?

으아아 이걸 뭐라고 대답해 줘야 할지…!!

내가 더 나음.

어? 누나가 제레미 녀석의 체형을 아세요?

응. 나야, 애들 신체 치수는 다 알지.

그리고 날이 더워진 뒤로는 훈련장에서 편하게 있기도 하더라.

…!

야, 얼른 나와.

뭔 생각 하나?

닷새만 있으면 검술 대회네.

둘 다, 좋은 승부를 위한 각오는 돼 있니?

그럼.

마침내 내가 저 녀석의 무릎을 꿇릴 기념비적인 날이지.

중간에 떨어져 나가지나 마라.

네놈이야말로.

난 어느 쪽이 이기든

너희가 결승까지 갔다는 사실만으로도 의미가 클 것 같아.

그건 안 될 말이지, 슈리. 나는 반드시 너에게 우승 트로피를 안겨줄 거라고.

부러운 호언이군.

난 누구에게 바치면 좋으려나.

ㅎㅎ

내가 이길 거라니까.

나쁘지
않네.

제국 최초라는
칭호는

내
전유물이니까.

시끌

시끌

여기가 시장 중앙에 있는 광장이구나.

시끌

인파를 보아하니, 곧 공연이 시작될 모양이군요.

시끌

소박~

그런데··· 무대가 아담한걸?

나무판자에 그림

인형극이네요.

인형극···

세상에서 제일 관심 없는 표정

스윽.

음

이 엄마는 무슨 얘기일지 너무너무 궁금하단다, 제레미~

알았어, 알았어.

쫄쫄 쫄쫄

따다다

···?

아이들에 비해 성인 관객이 많다. 무슨 내용이지?

여전지 감이 안 좋은데···.

···괜한 기우인가?

최근엔 이쪽으로 오지 않아서, 정보가···.

♫

♫♫

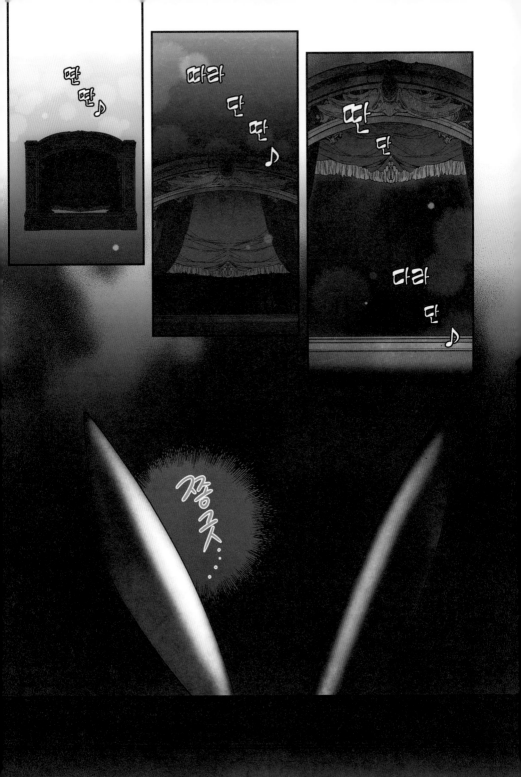

짱긋

와—…

짝짝짝

오
배경이
바뀌잖아?

드르륵 드르륵

여러 장
그려서
겹쳐두는
거야.

그래?
별걸
다 아네.

……

…분홍색
토끼 인형…

…설마….
아닐 거야.

아아—
가련한
나의 인생—.

써 억!

사자가 독수리를 잡아먹고 있어!

욕망에 눈이 먼, 어리석은 죄인들아!

신께서 분노하실 지어다!

타오르는 불 속에서 심판을 받을 지어다!

가자.

더 볼 필요 없어.

여긴 그나마
조용하네.

마차를
불러올 테니까
잠깐 기다려.

ㅇㅇㅇㅇㅇㅇ ㅇ

많이 놀라셨죠.

괜찮아.

귀족이나 황족에게 추문을 붙이며 유흥거리로 삼는 것은 자주 있는 일이잖니.

감사합니다~

감사합니다~

!

그리고…

우리 집은

싱긋.

남들이 하는 얘기에 신경 쓰지 않기로 했거든.

누나.
잠시 손
내밀어
보실래요?

응?

갑자기?

이렇게
말이니?

네.
눈도
감아주시면
좋겠습니다.

살 포시...

좀 더
멋진 분위기에서
드리고 싶었지만,

어쩔 수
없네요.

노라…
이게
뭐—

아.

꼬 악?

소박해요.
마차에서
봐주세요.

이거, 참.

제레미 녀석이
그렇게 휘황찬란한
목걸이를 고를 줄은
몰랐는데….

노라가 준
선물…
대체 뭘까?

"처음이자
마지막이
될 거다."

"간직하든지
버리든지
네 마음대로
해."

"갑자기
마차가 왜…!"

"밖에
무슨 일이죠?"

"알츠 경?
볼프강 경?!"

"누가
대답을…!!"

왜 그래,
슈리?

손에 든
그건
또 뭐고?

응

소중한
선물.

보섬.

어때?

네가 준
목걸이와
잘 어울릴 것
같지?

─…
비교되지
않겠어?

그것보다
목걸이가
10배는 더
크겠다.

⅛

그 목걸이도,
이 브로치도
나한테는
전부 소중하고
많은 의미가
있는걸.

…노라
덕분에

어지럽던
머릿속이
조금 정리되는
기분이다.

크기 문제가 아니란다~

제레미와
나의 관계를
자극적으로
모함하던
인형극.

그리고…
리슐리의 추기경이
던졌던 수수께끼 같은
한마디.

날이 밝으면
백조의 홀에 얽힌
전설부터
알아봐야겠어.

무언가…
다가오고
있다.

불길한 예감이
들어.

지금까지와는
다른

거대한
폭풍우가….

기사 따위가 되면, 결코 충성을 바치고 싶지 않은 자를 주인으로 섬겨야 하거든.

…?!

묻겠다.

이런 극을 만든 의도는?

스으윽

자, 잠깐! 극을 쓴 건 내가 아니오!!

난 그저 '거리의 예인단'에 속한, 한낱 인형술사라고 …!!

누군가 내게 극본을 줬소!

예인단에 글을 가져오는 수습 작가가 제법 많거든!!

사람들이 자신의 작품에 어떤 반응일지 궁금하다면서 말이야…!

우린 단순히 그걸 무대에 올리는 거고!

그러니까 난 내용과는 아무 관련이 없…

그럴까?

당신은
이 이야기가
가리키는 대상이
누구인지
잘 알고 있어.

아니,
사실 수도의
모두가 알고 있는
사람이지.

그 정도의
화제성도 없는
인물이라면,
큰 수고를 들여
공연으로 만들지
않았을 테니까.

뚝뚝

⋯⋯

진위 따위는
상관없이

타인이
받을 상처는
생각도
않은 채,

자신의
이익만을
좇으니

당신은
예인도,
뭣도 아닌

그저
협잡꾼이로군.

타
닥...

타
닥...

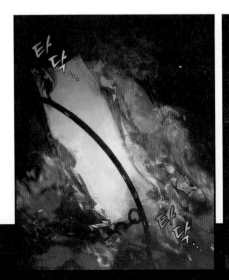

인형극이
상연된 지는
이미 보름 이상
지났다.

극은 멈춰도,
구전되는
추문은 막을 수
없어.

타
닥...

타
닥

그저 흔한
풍자라면
이대로
지나가겠지만…

내용이
구체적이던 것이
마음에 걸려.

…그래도
누나는 결국
흘려보내는 쪽을
택하겠지.

타
닥...

타
닥

지금까지
그래왔던 것처럼.

후우….

그 도박장이 마이스너의 새 자금줄이란 말이지.

!

움찔

이 목소리는··· 리슐리외잖아?

방법이 꽤 저속해진 걸 보니, 연이은 손해로 마음이 급한 모양이로군.

예. 차기 교황 선출을 의식하고, 수단을 가리지 않고 있습니다.

뒷조사를 하셨다?

이 얘기는 나도 들어줘야 겠네.

가쌰··

그런데 하나 기묘한 점이—

그 하우스의 관리자가 아무래도

노이반슈타인 후작 부인의 오라비인 것 같습니다.

···

?!

두근

근거는?

그자가 정확히 누군지, 아무런 정보도 얻지 못하던 차에

노이반슈타인 저택의 정보를 넘기는 저희 쪽 하녀가

그자의 얼굴을 똑똑히 기억한다고 했습니다.

아마도, 저—

이그회퍼 자작 부인과 그녀의 아들이 갑자기 들이닥쳤던 때겠지.

네! 이외에도 여러 특징을 대조해 봤습니다만, 확실합니다!

—…

첫째는 황족 시해, 둘째는 도박이라.

2년 만에
목숨을 잃은
남편의
유언으로

**성가신
의붓자식을**
넷이나 맡아
기르지만

그 수고에
답하기는
커녕,

차례로
돌아가며
곤경에 처하게
만들 뿐이라니.

—신세
한번
처량하군.

울끗

히읗

벌
컥!

즈ㅏ

응...

쿠웅

……

지금 대체…
일이 어떻게 돌아가고
있는 거야?

두근

슈리의 오라비가
하우스의
관리자라고
…?

두근

만일의 경우가 생기면
마이스너의 선에서
정리하겠단 조건이었다.

그러니 나까지
위험해질 일은
없겠지만…

도박장을
운영한 자만큼은
무사하기
힘들 텐데…!

……잠깐만.

이래서야,
애꿎은 슈리까지
곤경에 처하게
되는 꼴이─

멈칫

현재,
셰스 하우스에는
레트란이
드나든다.

이 사건은 곧,
레트란을 필두로
현 계승권에 대한
전복을 기도하는

야밤의 도박장에서
대가문의 자제들과
친목을 도모하는
둘째 황자.

만약,
모든 것이
수면 위로
드러난다면…

신흥 세력의
결집으로
의심받게 될
것이다.

분명,
'둘째는 도박'
이라고 했지.

슈리의 짐은
오라비 뿐만이
아닌 거야.

리슐리외의
말대로다.

이건
기회가
될 거야.

슈리의 곁에,
그녀를 진정으로
위해주는 사람은
없어.

3년 전에
채 이루지
못한

그녀 혼자서
모두를
지키는 건
불가능해.

그녀의 곁을
차지할
기회가—.

뚝
벅

리슐리외가
얼마나 본격적으로
움직일진
모르겠지만,

경위를 다
파악한 이상,
가만히 구경만
할 리 없지.

일이
커지면

그쪽은
마이스너의
수완을
기대해 볼까ㅡ.
추기경들 힘싸움엔
관심 없으니까.

냐야,
좋고.

생일 선물은
다시 준비하자.
세상에서 가장
화려하고
누구나 의미를
알 수 있는 걸로.

머지않아
필요하게
될 테니까.

거봐.

역시
내 반려가
되는 수밖에
없잖아.

그러니까
도망치지 마.

슈리.

탁

…그런데
추기경님.

황태자 전하께
일부러 정보를
흘린 이유가
무엇인지

여쭤도
되겠습니까?

The Fantasie of
a Stepmother

흔쾌히 맞이해 주셔서 고맙습니다, 바이에른 부인.

무얼요.

홀로 적적하게 지내는 노인이 아닙니까.

이야기 나눌 사람이 찾아오면 그렇게 기쁠 수가 없어요.

자아, 앉지요.

!

···저 남자는?

이 방에 있는 줄은 몰랐네.

어머나, 베냐민 ···!

이쪽은 노이반슈타인 후작 부인이고—

이리 와서 인사를 나누세요.

흘낏··

···?

메기? 어서 차를 내어 오너라.

네, 마님.

달그락

양자를 들이기로 하셨다고요.

그렇습니다.

…나는 자식들이 장성하는 모습 한번 보지 못하고

전부 일찍 떠나보낸, 불운한 여인입니다.

신께서 허락하신 우리 부부의 운명은

여기까진가 하며 순응하고 살았는데….

남편의 성을 물려줄 만한 먼 혈연이 있다는 사실을 알게 되자,

그만 욕심이 나더이다.

마음이 전에 없이 급해지는 것을 보면, 나도 갈 때가 가까운 게지요.

그런 말씀 마세요. 누구라도 반가운 일이지 않겠습니까.

—…자유롭게
살던 청년인지라,
가르칠 점이
많은데도
즐겁기만
한 것이

아무래도
말년에 자식 키우는
재미가 든
모양입니다.

그런데 아직
정식 절차가
끝나지
않아서….

남들에게
소개하지는
못하시는군요.

네.
어서 건국기념제가
끝나기만을
기다리고 있답니다.

지금 이 나라에서
축일이 빨리
지나가길 바라는 건,
아마 나뿐이겠지요.

후후후

음…
꼭
그렇지만도
않답니다
…!!

남은 일정

다칠까봐 걱정일 뿐인 행사들.

그래,
부인께선
오늘
무슨 일로?

아
…—

사실…

부인을 의회에서
뵙지 못한 지가
좀 되어서요.

어찌 지내시나
궁금한 나머지,
찾아왔는데…

이렇게
기쁜 소식을
듣게 되었네요.

축하드립니다,
바이에른 부인.

—...
건실한
사람은 아닌 것
같지만

저렇게
행복해
하시니까
된 건가....

덜컹..

덜컹..

결국
'백조의 홀'에
대해선
묻지 못했네.

연륜이 깊고,
황궁 출입도 오래 하신
바이에른 부인이라면

뭔가 알고
계시지
않을까 했는데.

덜컹..

덜컹..

차라리
잘된
일인지도
몰라.

덜컹..

역시 이 일은
나 혼자서
알아내는 것이
좋겠어.

남에게 함부로
운을 띄울
문제는 아닌 것
같으니.

덜컹..

281

…….

저 녀석은
분명—….

좋아.

조사는 맡긴다.
너희라면 잘 해낼 거라 믿으니까.
대신 감이 안 좋으면 바로 빠져나온다고 약속해. 욕심내지 않기로.
예썰!
그리고 한 명, 집중해서 봐줘야 할 놈이 있어.
오오
말만 해!
헉! 잠입에, 특수 임무까지?!
우리, 이러니까 마치…
진짜 '스파이'가 된 기분인걸?
이 이미지는 뭐지.
들어가고 싶어서 아무 말이나 했던 거냐.
뉘른베르가 어쩌고 하더니.

드르륵

드륵

덜컥!

!!

아아,
뭐야~!

또
걸렸네.

낑낑

으싸

으싸

부들 부들

미끌

아!

아얏!

난 왜 이렇게
힘이
약하지?

으으..

형들이었음,
사다리 따위...

키도 그래.
아직도 레이첼이랑
비슷하잖아.

형들은
멀대같이
잘만 크는데!

시무룩..

살금.

우리 레온도
곧 쑥쑥
클 테니까,
걱정하지 말렴.

깜짝

속닥

!!

으아,
깜짝이야!!

언제 왔어,
엄마?!

후후,
방금.

많이 놀랐니?

그리고, 키 좀 안 크면 뭐 어떠니? 이렇게 똑똑한데!

안 돼~! 최소한 엘리아스 형보단 커질 거란 말이야~!

저런, 레온이 욕심쟁이인 걸 깜빡했네~

히히.

엄마도 책 보러 왔어?

음... 그렇긴 한데….

이렇게 넓은 곳에서 어느 세월에 찾아보나~

막막하네~

그럼 내가 도와줄까?

황궁?

물론 있지! 어떤 내용을 찾는데?

내용이라 ㅡ.

흐음

황궁을 지으면서 벌어졌던 에피소드라든지…

역사 속 황족들에 관한 얘기라든지…?

아하!

그럼, 이 '황궁 안내서'는 어때? 황실의 신비한 방을 소개하는 아주 흥미로운 책이야!

거울이 1000개 있는 방이랑, 천장까지 금칠이 된 방도 있대.

이쪽은 제국의 역사적 인물을 다룬 위인전!

내 애독서라 할 수 있지!!

멋진걸~ 혹시 좀 더 미신에 가까운 내용은 없을까?

우, 우리 엄마가…

'오컬트' 같은 거에 빠져 버렸나 봐 ……!!

두근

두근

아니! 그런 게 아니야!

울찔

조마

조마

건국기념제를 즐기다 보니, 문득 제국의 옛이야기까지 궁금해져서 그렇단다.

둘러대기

휴~

난 또~! 깜짝 놀랐네!

이쪽부터 저쪽 책장까지는 엄마가 찾는 주제랑 비슷할 거야.

소설도 괜찮으면, 이 칸에 미스터리를 다룬 작가별 연작을 보면 돼.

아. 아니면, 저쪽 벽면의 개별 선반에서 찾을 수 있을지도 모르겠다!

레온은 굉장히 세세하게 기억하는구나.

가정엔 교양이나 종교 서적만 두는 게 보통이라,

우리 집 서재는 그에 비하면 다양하게 갖춰져 있는 편이야.

—레온의 생각은 어때?

우리 집이 지나치게 자유로운 것 같니?

음—

가끔 헷갈려….

하지만 관습에 갇히지 않은 유연한 사고가

나도 아빠처럼 훌륭한 사람이 되고 싶어.

아빠를 더욱 대단한 수완가로 만든 비결이었다고 사람들이 그랬어.

그러니까 말썽은 많아도, 자유롭게 지식을 익힐 수 있는 노이반슈타인이 훨씬 좋아!

레온….

주르르륵!

깜짝

아니?! 로베르트?!!

언제부터 있었지?!

갑자기 최송합니다, 마님…! 도련님께서 독서 모임에 가실 시간이라…!

주룩주룩

아, 맞다! 독서 모임!!

완전히 까먹고*있었어~!

레온이 알려 준 곳부터…. 으샤.

식사를 가져왔습니다, 마님.

고마워, 그웬.

자박

아쉽지만
서재에서의
수확은
없었네.

자박

자박

자박

단서라고는
'백조의 홀'에
얽힌
이야기라는
것뿐이니….

막막하구나.

당장 급한

멈칫

다른 걱정도
있는데―

자박..

…요히너스의 방.

이 방 앞을
지날 때면

가슴이 조금
답답해진다.

그는
내가
처음으로
만난

가장 먼저
들어야 할
그리움은
어디로
숨은 걸까?

이상한
일이야.

친절하고

다정한
사람이었는데.

......

...미,

...미안해요, 요헤너스.

실수로 손에 힘을....

뚝

뚝

순서는 잘

외웠는데
....

스윽

익숙하지 않은 식기라 그렇소.

모두의
존경을 받는

따뜻한
사람.

그래.
내가 이 문을
여는 것이
두려운 이유는

이제 그 사람이
세상 어디에도
없다는 것을
확인해야 하기
때문일 거야.

'바텐베르크궁의
역사'라···.

응?

제목만으론
서재에 있는
책들과 비슷한
내용일 것
같지만···

지금으로선
감이 오는 건
뭐든 꺼내 봐야지.

팔락

본궁···
교황청···.

동관과
서관···.

지하 감옥과
감시탑···.

!

있다.
백조의
홀.

'본래 백조의 홀은

사제와 고위 관료를 위한 예배당이었다.'

제국력 687년, 교황청의 대규모 증축이 완료됨에 따라

황제는 사랑하는 황후를 위해

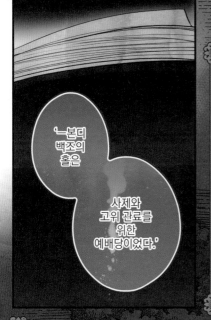

예배당을 별채로 개조하고, 세상에서 가장 아름답게 꾸밀 것을 명한다.

터의 연못에서 노닐던 한 쌍의 백조를 따와, 황제가 친히 그곳을 '백조의 홀'이라 명명하였고

오랜 공사 끝에 완성된 별채는 황제의 사랑에 걸맞은 뛰어난 위용을 자랑했다.

별채에 들어선 황후의 두 눈에선

진주알 같은 기쁨의 눈물이 흘러넘쳤다.

…평범한 황족의 사랑 이야기 같은데.

팔락

리슐리외 추기경은 대체 무엇을…

황후와 의붓아들인 황자가

용서받을 수 없는 것을

백조의 홀에서

황제는

「칼을 뽑아 들

격분한 황제는

이게…

대체
무슨
소리지
…?!

6권에서 계속